小牛顿科学馆 全新升级版

矿石

KUANGSHI

台湾牛顿出版股份有限公司 编著

接力出版社
Publishing House

桂图登字：20-2016-224

简体中文版于 2016 年经台湾牛顿出版股份有限公司独家授予接力出版社有限公司，在大陆出版发行。

图书在版编目（CIP）数据

矿石／台湾牛顿出版股份有限公司编著．—南宁：接力出版社，2017.7（2024.1重印）
（小牛顿科学馆：全新升级版）
ISBN 978-7-5448-4931-9

Ⅰ.①矿…　Ⅱ.①台…　Ⅲ.①矿石－儿童读物　Ⅳ.①TD912-49

中国版本图书馆CIP数据核字（2017）第145916号

责任编辑：程　蕾　郝　娜　美术编辑：马　丽
责任校对：刘哲斐　责任监印：刘宝琪　版权联络：金贤玲
社长：黄　俭　总编辑：白　冰
出版发行：接力出版社　社址：广西南宁市园湖南路9号　邮编：530022
电话：010-65546561（发行部）　传真：010-65545210（发行部）
网址：http://www.jielibj.com　电子邮箱：jieli@jielibook.com
经销：新华书店　印制：北京瑞禾彩色印刷有限公司
开本：889毫米×1194毫米　1/16　印张：4　字数：70千字
版次：2017年7月第1版　印次：2024年1月第11次印刷
印数：69 001—76 000册　定价：30.00元

目 录

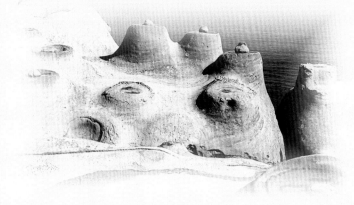

写给小科学迷

　　小朋友对矿石的印象如何？是冰冰冷冷的吗？其实矿石就像人一样，长相不同，性质不同，成分各异，它们可是记载着地球成长的历史呢！同时，人类和矿石的关系也很密切，从石器时代人们运用石头当工具，到现代利用放射性矿物作为很好的能量来源。人们越懂得利用矿石，人类文明就越进步。到户外时，不妨多观察，石头的世界可是多彩多姿的哟！

大地的宝藏——矿石

你在户外游玩时，有没有注意过周围的石块？它们散落在河床上、山脚下，甚至在陡峭的山壁上都可以发现它们的踪迹。这些石块看起来长得都差不多，其实它们和人类一样，都有自己的名字和不同的生活环境。同时，它们身上还记载着地球成长的历史呢！

小小石块用处大

"嘿！这块石头棱角分明，尖锐无比，磨一磨正好可以用来杀野兽。"

人类和矿石有密不可分的关系。自有人类以来，人们就懂得利用矿物资源，从人类对矿物的利用程度，就可以看出人类文明的发展过程。从石器时代开始，人类的祖先就懂得将石块当作工具。后来人类又学会了冶炼矿物，将其加工制造成各种器具。到了现代，人们已经能够充分利用各种矿物了，例如放射性矿物便是很好的能量来源。因此我们可以说：人们越懂得利用矿物，人类文明就越进步。

大地的坚硬外衣

"地球上如果没有了岩石，会变成什么样子呢？"

地球本身就是一块大岩石，而包围在地球外壳的岩石，就是我们熟知的地壳。因为有了这一层固体的岩石外壳，才使得我们的地球能维持稳定的外形。

岩石是由矿物组成的。如果只是由单一矿物组成的，称为"单成岩"，例如石灰岩，它的组成矿物是方解石。如果是由两种或两种以上的矿物组成的，就称为"复成岩"，例如花岗岩，它是由石英、云母、长石等多种矿物组成的。

扫一扫，看视频

金门的花岗岩与流纹岩

绢云母

石英

透闪石

花岗岩

长石

偏光显微镜下所看到的岩石薄片

（图片作者：曾保忠）

橄榄玄武岩

黑、白条纹双晶的斜长石，包围着棕色、黄色、蓝色的橄榄石。

（图片作者：曾保忠）

砂岩

大型颗粒状的石英和其他细粒石英、杂质胶结成一团。

（图片作者：曾保忠）

花岗岩

条纹状且颗粒较大者为长石（包括斜长石及正长石），黄色为云母，白色为石英。

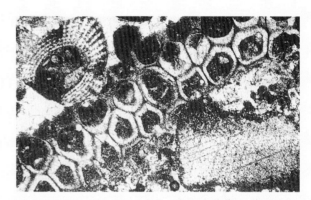

（图片作者：曾保忠）

石灰岩

可以明显看到包含在岩石薄片中的生物遗骸，其中右下角条纹状者为方解石。

（图片作者：曾保忠）

角闪石安山岩

大颗粒者为斜长石，中央粉红色及黄色为角闪石，细颗粒者为玻璃质岩基。

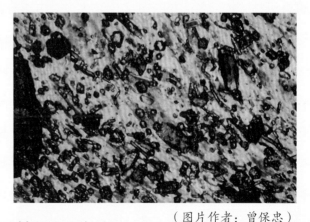

（图片作者：曾保忠）

蓝闪石片岩

蓝色部分为蓝闪石，黄色和红色则是绿帘石，黑色小颗粒为石榴石，大型黑色颗粒是黄铁矿。

造岩矿物大集合

矿物是地壳中由地质作用形成的天然化合物和单质，通常具有固定的化学成分和结晶构造。在宇宙间我们已知道的矿物超过 4000 种，但是构成地壳岩石的主要矿物只有少数几种，这些组成岩石的主要矿物就称为"造岩矿物"。造岩矿物之中 90% 以上为

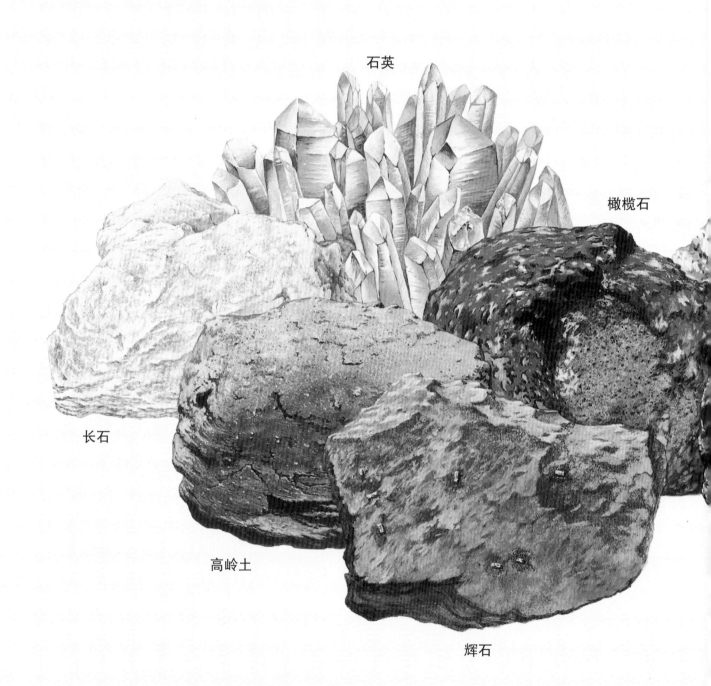

石英

橄榄石

长石

高岭土

辉石

硅酸盐类矿物,主要有长石类、云母类、石英类、辉石类、角闪石类、橄榄石类。除此之外,还有属于次生硅酸盐类矿物的高岭土和属于碳酸盐类矿物的方解石。其他诸如磁铁矿、黄铁矿、石膏、岩盐、萤石等也都属于造岩矿物。

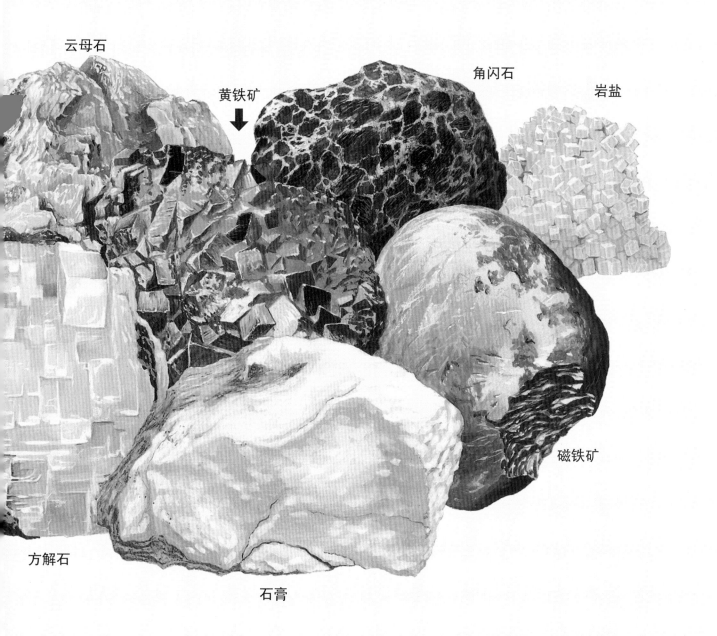

云母石

黄铁矿

角闪石

岩盐

磁铁矿

方解石

石膏

多样的矿物鉴定法

扫一扫，看视频

矿物与宝石

　　所谓的矿物鉴定就是借助各种方法来判定矿物的种类和名称。有些矿物结构明显，可直接从它的结晶、颜色、硬度来判定它的种类。但有些矿物就不容易由外在的特征来判别，这时便需要利用偏光显微镜、X 射线、化学分析等方法来加以鉴定了！

大理石

石膏

白瓷板的背面

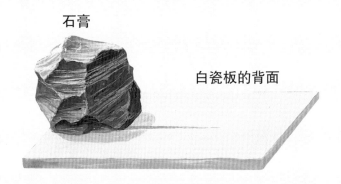

　　颜色：指矿物表面的颜色。矿物不同，颜色也不同，即使是同一类矿物，也会因所含的杂质不同而呈现不同的颜色。

　　条痕：这里利用矿物粉末的颜色来辨别。利用矿物在白色无釉瓷板上刻画而留下的颜色来判别。同一类矿物可能从表面上看有不同颜色，但条痕颜色固定。

　　硬度：摩斯硬度计中，列出了以下 10 种不同硬度的矿物，作为测试矿物硬度的标准。只要利用这 10 种矿物，在未知矿物上划一下，如果产生刻痕，表示已知矿物硬度较大，如果划不出刻痕，就表示未知矿物硬度较大。用这 10 种矿物一一测试，就知道未知矿物的硬度。

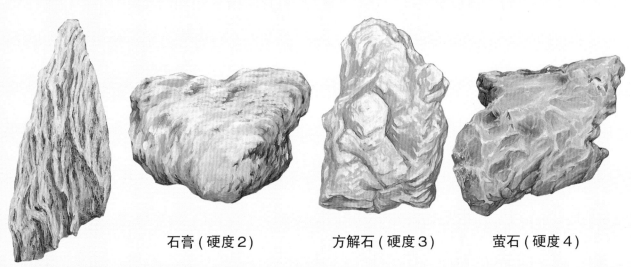

滑石（硬度 1）　　石膏（硬度 2）　　方解石（硬度 3）　　萤石（硬度 4）

大理石

石英

光泽：光线照射在矿物表面，会因反射作用而产生光彩，例如有金属光泽和非金属光泽等。

结晶的形状

四面体

八面体

双三角锥体

正方体

十二面体

六方体

刚玉

黑曜岩

结晶：矿物都有一定的结晶外形，晶形可分为四面体、六面体、八面体、正方体、十二面体及六方体等。

解理或断口：矿物遭外力破坏后，依一定方向裂开的，称为"解理"；不依一定方向裂开的，称为"断口"。

磷灰石（硬度5）

长石（硬度6）

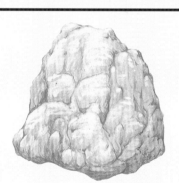

石英（硬度7）

黄玉（硬度8）

刚玉（硬度9）

金刚石（硬度10）

永无休止的岩石循环

岩石也可以说是矿物的集合体。

组成地壳的岩石，可依照形成方式分为火成岩（亦称岩浆岩）、沉积岩、变质岩三大类。三类岩石中，虽然形成时间不同，但彼此却可以互相转换。例如：岩浆从地底喷出地面，经冷却、凝固后变成火成岩。火成岩经风化、侵蚀、沉积作用而转变成沉积岩。

沉积岩在长时间堆积后，底部所受压力增大，温度变高，就会逐渐变为变质岩。有时沉埋于地底的变质岩，局部温度会升高到熔点，使得变质岩成为熔融的岩浆，岩浆往上喷发又成为火成岩。像这种岩石相互转换的现象，就称为"岩石循环"。

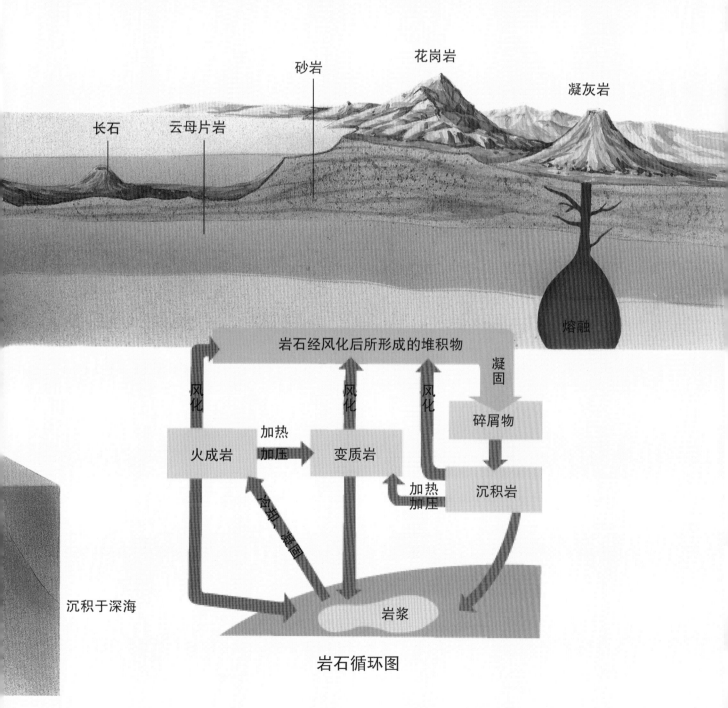

岩石循环图

岩石大串演

沉积岩是原岩经风化、侵蚀作用而生成的岩石或矿物碎屑，经流水、风或冰川搬运、沉积而成。此外，溶于水的物质，经化学反应生成沉淀物后也会生成沉积岩。

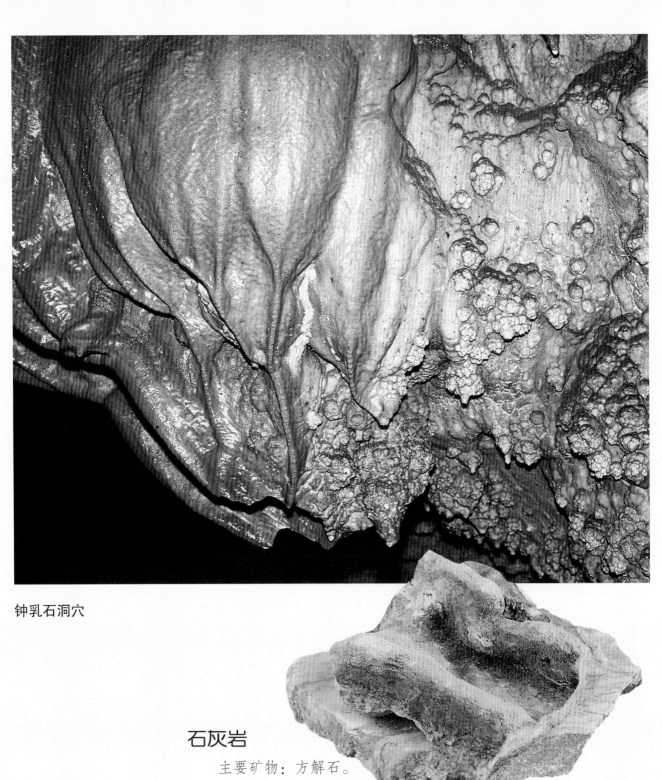

钟乳石洞穴

石灰岩

主要矿物：方解石。

砂岩

通常以石英为主。

台湾岛北部观光胜地野柳

砾岩

主要由碎岩或磨圆的石砾组成。

溪流河床

冷却速度不一的火成岩

　　火成岩是由熔融的岩浆冷却凝固而成的岩石，依据火成岩的生成环境，可以将其分成深成岩和火山岩。深成岩是岩浆侵入地壳较深的地方后，再慢慢固化而成的，花岗岩便是其中的代表。火山岩是岩浆流出或喷出地表，在空气中或海水中急速冷却固化而成的，以玄武岩为代表。

澎湖岛柱状岩群

玄武岩

　　颜色：黑、褐色。
　　主要矿物：辉石、斜长石。

地砖

花岗岩

　　颜色：灰白、浅红色。
　　主要矿物：石英、长石类、云母。

不论是火成岩还是沉积岩，如果受到温度增高、压力增大或是化学环境改变等影响，原来的岩石组织、结构及矿物成分就会产生变化，从而形成一种与原岩性质不同的岩石，就称为"变质岩"。

台湾岛东部太鲁阁

大理石

原岩：石灰岩。
主要矿物：方解石。

板屋

板岩

原岩：页岩、泥岩。
主要矿物：云母、石英。

矿藏勘探多辛苦

人类所需的矿产资源，尤其是稀有且具有经济价值的矿物岩石，大多埋藏在崇山峻岭里。面对这些绵延不绝的山岭，研究人员该如何动手勘探呢？

在勘探任何矿藏之前，研究人员会先研读该区的航空照片或遥测资料，充分了解该区域的地形、地层分布以及大地构造。然后再派遣人员，分区进行实地勘查工作，等确实找到矿床露头之后，就要进行试坑，目的在于确定矿床的倾斜走向、厚度和延伸情形，之后才能估计出矿石储量和品质。目前许多大理石矿采取这种勘探方法。这些艰辛的开路勘探工作完成后，就可以开采了。

钻孔劈裂法

因地震、地层的变动或
风化作用等原因，脱离岩层
或原矿脉的岩石，称为"转
石"。

石破天惊的开采法

　　大理石是雕刻手工艺品的材料。早期，大理石的获取方式是直接从河床或山坡地捡取转石。后来因为石材需求量激增，才改用炸药爆破并配合钻孔劈裂法来做大规模开采。炸药不仅可以用来爆破大块矿体，采出纹理一致的石材，更可以用来炸碎坚硬的矿体，采出工业所需的各种原料石。

　　使用炸药爆破矿石的成本低，采石迅速，可节省不少时间和能源。此外，在大理石矿区也常可以看到工作人员在进行阶段式的开采，就是利用钻孔劈裂法或金钢索锯法，像切豆腐一样，将大理石切成方形之后，再运往加工厂加工。

万能"穿山甲"

位于大理石原矿床上方的链锯，利用它那可以 360 度转动的钢锯，往下垂直切割大理石矿之后，就该金钢索锯大展身手了。将金钢索绕过已垂直切割好的大原石，电源接通后，金钢索快速地转动，乍看之下就像两条细绳在拖巨石，不一会儿的工夫，一块大原石就被水平截断了。

由于方便易采的转石大多已开采完了，所以一定要由捡取转石提升到开发原矿床才行。而金钢索锯是一种既可切割转石，又可开采原矿床的工具。它是操作容易、安全性高的采矿工具。

金钢索

金钢索锯切割石材时，由于会产生大量的热，所以需要水来帮助冷却，并达到润滑的目的。

巧夺天工的大理石制品

一般而言，本属于沉积岩类的石灰岩，经过变质或再结晶作用之后，会转变成变质石灰岩或结晶。而我们通常将这种适合做建材、雕刻材料和工业原料的变质石灰岩或结晶称为"大理石"。品质最佳的大理石可选作"正材"，也就是可加工成建筑物的内墙材料。

选作正材的大理石必须硬度大、耐磨、耐蚀、花纹美观、质地细密。具备这些条件的大理石，加工出来后不仅光彩亮丽，还经得起风吹雨打呢！除了当作建材之外，大理石还可以切割、磨制成大理石家具，而其他较小的部分则可雕成各种手工艺品。

工业上不可缺少的角色

石灰岩除了可作为石材使用外，还有一种更重要的用途，就是可用来做工业原料。石灰岩在工业上可作为制造水泥、糖、纸、玻璃及冶金等的主料和辅料，甚至还能用来改良土壤、处理工业废水、防治空气污染。

由于具有多重经济价值，石灰岩矿可以说是最具有工业潜力的矿产资源之一了。石灰岩是制造水泥的主要原料，不少水泥厂为了方便就地取材，就建在石灰岩产地附近。

已绿化的区域

为子孙做好环境保护工作

　　过度开采矿石，会改变周围山林的生态环境，这时候如果不赶快做好环境保护工作，山崩、泥石流会为山林带来更大的危害。要知道大地所蕴藏的一切资源，不止属于我们这一代，所以如何兼顾矿产资源的开发和生态环境的维护，就成为目前最重要的课题了！

　　由于意识到环境保护的重要性，各个矿区在开采矿石的同时，也尽力做好环境保护工作，一边采矿，一边在开采过的地区种植容易生长的植物。我们衷心地期望他们的努力能为子孙后代留块清静的乐土。

采集乐，乐无穷

　　看过那么多的岩石和矿物，你想不想也收集一些专属于自己的矿石呢？准备一个旧帆布袋、小铁锤、笔记本、标签纸，就可以出发去找石头了！刚开始收集石头的时候，可以先从家附近找起，花园、校园、建筑工地等都是寻找石头的好地点。还有，假日和爸妈、朋友到野外游玩时，也可以找到更多的石头。你找到需要的石头之后，把写

好号码的标签纸贴在石头上，并且在笔记本上记下发现这块石头的时间、地点及周围的环境特征，回家后才方便做分类整理的工作。小铁锤是为了要从大石块上敲下一个小石块而准备的，使用时要特别小心哟！

石头世界知多少

　　岩石采集回来后，就可以进行分类整理的工作了。跟妈妈要些空盒子，将盒子里面分成几个小格，摆放你收集来的石头。火成岩、沉积岩、变质岩分别摆放在不同的盒子里，记得盒子外面要贴上标签哟！时间久了，你的收藏品会越来越丰富，到时候

你会有很多的"专门盒子"，有专摆矿物结晶的，有专摆化石的，有专摆石灰石的，甚至，你也可以把摩斯硬度计中的10种矿物都收集齐全！

走，钟乳石洞探险去！

　　全世界分布有石灰岩层的地区，都可能存在钟乳石洞穴。那里黑暗、阴森，简直是一个被太阳抛弃的世界，但是在这伸手不见五指的地方却处处展现了大自然的鬼斧神工。你想看看那儿究竟是怎样的世界吗？走，我们一起去瞧瞧！

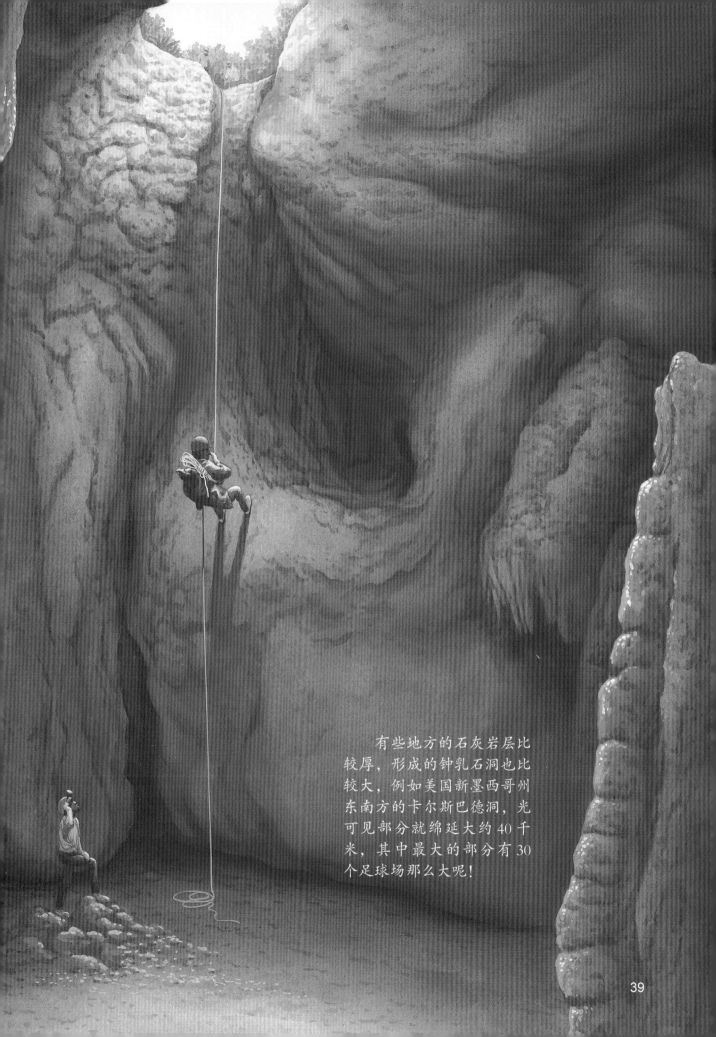

有些地方的石灰岩层比较厚，形成的钟乳石洞也比较大，例如美国新墨西哥州东南方的卡尔斯巴德洞，光可见部分就绵延大约40千米，其中最大的部分有30个足球场那么大呢！

39

不怕黑暗的生物

滴答！滴答！沿着洞壁缓缓流下的水，清脆地滴落在地面上。有时候因为受到地形的影响，地下水会逐渐汇集成小水洼，甚至小溪流呢！

咦？你瞧，水里面还有小生物哟！它们体形十分娇小，而且颜色淡淡的，不仔细瞧还真不容易看见。由于一生都生活在不见天日的阴暗世界里，所以这些生物为了适应环境，身体构造早已改变，眼睛大多退化失去作用，有的甚至根本没有眼睛。但感觉器官却很发达，触角和脚也变得特别长，用来和同伴打招呼还挺方便的！

洞穴姬蛛

蚰蜒

马陆

横虾

盲蛛

双尾虫

拟蝎

洞穴蝾螈

41

蝙蝠

龟壳花

蜈蚣

灶马

42

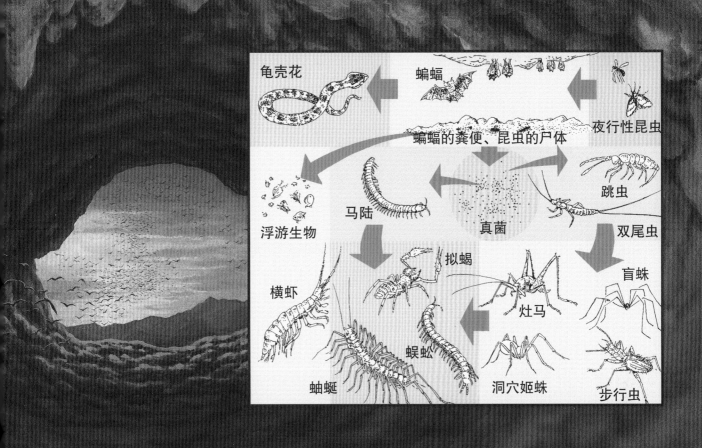

龟壳花　蝙蝠　夜行性昆虫　蝙蝠的粪便、昆虫的尸体　浮游生物　马陆　真菌　跳虫　双尾虫　横虾　拟蝎　灶马　盲蛛　蚰蜒　蜈蚣　洞穴姬蛛　步行虫

环环相扣的食物链

洞穴里的生活神秘而安静。这里栖息着许多长相怪异的生物，除了蝙蝠以外，它们几乎一辈子不出洞。

成群结队的蝙蝠平日没事便倒挂在洞壁上，肚子饿了才飞出去捕捉昆虫来吃。蝙蝠可以说是洞中所有生物的食物供应者，它们吃剩的昆虫残渣和排泄的粪便堆积在地上，真菌等便靠这些废物逐渐成长。跳虫和马陆等又吃这些真菌长大，步行虫、拟蝎等肉食动物又以它们为食。

你瞧！体形较大的肉食动物早已等候多时，准备好好吃一顿昆虫大餐。"你吃它，我又吃你"，大自然的这个规律，在钟乳石洞中也同样适用。

步行虫

跳虫

错综复杂的地底迷宫

　　水是钟乳石洞这座地下艺术宫殿的创作者，正是它不停地工作才创造出这些奇妙的景观。

　　在地球表面分布有石灰岩层的地区，受到弱酸性的雨水和河流的影响，会逐渐在地表和地下形成各种特殊地形。地面上刚开始会出现渗穴、岩沟，而后又慢慢被溶蚀成石林，最后才被溶蚀成圆顶的小丘，称为"石灰岩残丘"。

　　而在地下，弱酸性的雨水缓缓渗入后，遇到石灰岩层，产生化学作用，部分石灰岩被溶蚀成了漏斗状的小洞。经年累月下来，这些小洞又慢慢被溶蚀成大大小小、弯弯曲曲、相互连接的洞穴，最后形成了错综复杂的地底迷宫。

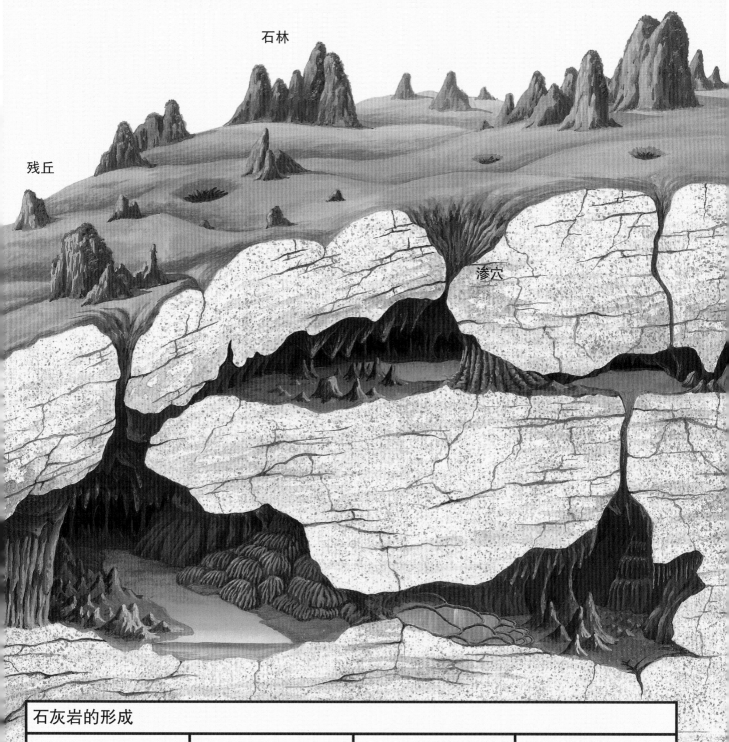

石林

残丘

渗穴

石灰岩的形成

海洋中许多生物像贝类、珊瑚虫等会吸收水中的碳酸钙，制造硬壳和骨骼。

当生物死亡后，骨骼和硬壳被波浪冲击成碎片。

经过好几万年，这些碎屑逐渐堆积，在高压下形成坚硬的岩层，这就是石灰岩层。

再经过漫长的时间，地球板块运动的结果使得海底逐渐隆起变成陆地。

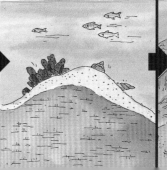

石头真好玩！

用手摸一摸石头，你会发现在河川下游和海边收集到的石头摸起来较细腻，而在山上、河流上游收集到的石头形状较尖锐，摸起来也比较粗糙。除了用手直接触摸外，利用转印的方式，也可以比较出石头的粗糙度。

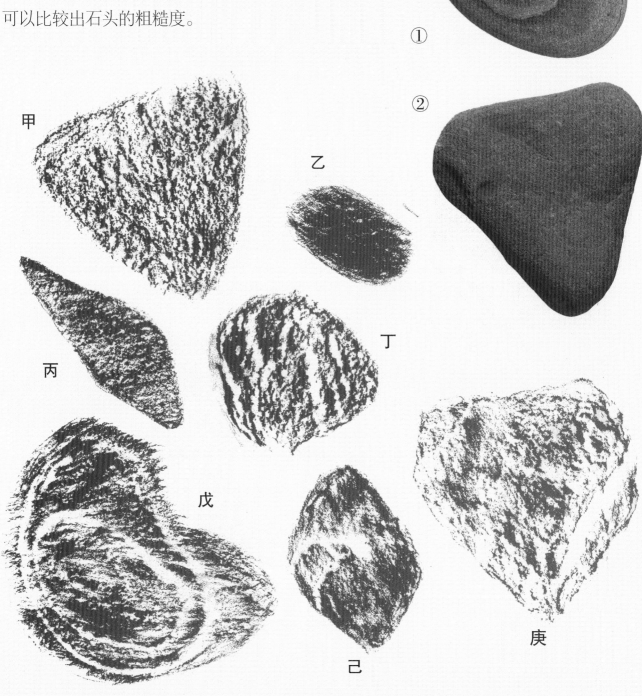

①

②

甲

乙

丙

丁

戊

己

庚

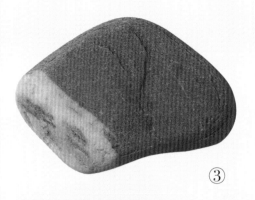

③

④

⑤

⑥

⑦

石头的颜色

岩石是矿物的集合体，有的由一种矿物组成，有的则由多种矿物组成。石头的颜色是由所含的矿物来决定的，无色透明、肉红色、暗灰色、橄榄绿、深绿色、黑色等都有，也有的一块石头上间杂多种颜色的花纹。

观察力大考验：

1.请将左边的石头和转印的痕迹配对，看看你可不可以从转印痕迹中观察到石头的粗糙度。（将甲、乙、丙、丁、戊、己、庚的代号填入①到⑦的空格中）

① □ ② □ ③ □ ④ □ ⑤ □ ⑥ □ ⑦ □

2.你能根据石头转印的痕迹，比较出哪块石头较粗糙，哪块石头较细腻吗？

较粗糙的是：＿＿＿＿＿＿＿＿＿＿＿＿＿＿＿

较细腻的是：＿＿＿＿＿＿＿＿＿＿＿＿＿＿＿

（答案请在本页找）

转印出来的线条越密集，越均匀，表示石头表面越光滑；越稀松，越不均匀，则表示石头表面越粗糙。

石头有大有小，每一块石头的形状、颜色都不一样，利用石头我们可以玩好多游戏。快准备一些石头，再找三五个好友一起来玩吧！

游戏 1：拼图比赛

1.每人先准备一堆石头。

2.事先将各种动物或其他造型的名称写在纸条上，放入空罐中。

3.从空罐中抽出一张纸条，大家同时开始用石头拼出图案，看谁最先完成。

游戏 3：空罐"抓"石头

1.准备一个空罐，罐口完全打开。

2.罐口朝下，快速把地上的小石子盖住，并收进罐子里。

3.石头可以从 1 颗、2 颗、3 颗开始，慢慢增加，看看谁"抓"起的石头最多。

游戏 2：丢 "石包"

1. 准备 5 颗小石头，玩法和沙包一样。
2. 将 5 颗石头撒在地上。
3. 捡起一颗石头往空中抛，再捡起另一颗石头，并接住空中的那颗石头。
4. 重复第三步，直到把地上的石头全部捡起。
5. 再重复第二、第三步，改成捡 2 颗、3 颗、4 颗。
6. 最后将 5 颗石头从手心朝空中抛，再用手背接，看看谁接到的石头最多。

比较石头的软硬

你一定觉得奇怪，石头怎么会有软的？其实石头的软硬是比较出来的，两块石头互相磨，硬度较大的石头可以把硬度较小的石头磨出粉末来。

石头雕刻

1. 准备一把专门雕刻石头的雕刻刀。
2. 收集一些较软的石头或买一枚刻印章用的印石。
3. 在石头或印石上刻上自己喜欢的图案或名字。（最好买一个刻印用的印床夹住石头，以免手受伤。）
4. 刻好后，蘸一蘸印泥，盖在自己的书上或卡片上，代表自己的签名哟！

成语中的科学——信口雌黄

晋朝时，有一个叫王衍的学者，很崇尚老子、庄子的思想和学说，常常喜欢和人讨论或讲述老庄的道理。有时王衍说错了，有人质疑，他便随口改正过来，次数多了，人们便笑他口中好像含了一块雌黄一样，可以边说边改。

如果一个人说话不负责任，经常无中生有，随便造谣，我们就可以说他"信口雌黄"。那么"雌黄"究竟是什么呢？

雌黄可以说是古代的涂改液，它是一种黄色的矿石，和古人用来书写的纸颜色很像，所以每当有人抄写错误时，便用雌黄石或雌黄的粉末涂抹写错的地方，用来修改。

现在，文字涂改液应用很普遍，很多小朋友写作业或考试时都会用到它。其实，它的溶剂是有毒的氯化物，在通风不良的环境下使用，很容易被人吸入体内，再由循环系统带到全身。如果沉积在肝脏中，会对人体造成伤害。如果滴一滴涂改液到蟑螂身上，蟑螂马上就会死！

雌黄

红宝石是结婚40周年的纪念石。

高贵的宝石——刚玉

刚玉是一种矿物，包括红宝石、蓝宝石等重要的宝石。普通刚玉是一种无光泽、颜色分布不均的氧化铝矿物。含有铬的刚玉呈现红色，称为"红宝石"；若铁和铬同时存在，就会呈现棕红色；而深蓝色的蓝宝石则含有微量的铁和钛。

刚玉耐高温，耐风化，不溶解于酸性溶液，常呈圆柱形、块状或圆形颗粒状，分布范围很广泛，产于火成岩、沉积岩、变质岩中。如果晶体体积小，必须用放大镜或显微镜才能观察到时，则无开采价值。

质地坚硬的刚玉除了作为珍贵的宝石外，也用于精密的机械装置。从1940年开始有了人工合成的刚玉，人造刚玉除了可当作宝石外，还可用于钟表、电器、科学仪器、纺织机械以及作为耐热材料等。

玛瑙属于隐晶质石英，隐晶质石英晶体很小，必须用显微镜才能看到。巴西、美国和印度是产玛瑙较多的国家。

神秘的石头——玛瑙

玛瑙是一种珍贵的宝石，根据所含色彩纹带的分布面，主要分为带状和云雾状两种，条纹常呈平行或波状，有时也呈不规则线状，各层的颜色都不尽相同，非常奇特。

不论是在火成岩还是在沉积岩中，都可能有玛瑙生成。我国玛瑙的产地很广泛，种类也非常多，其中云南保山出产的南红玛瑙，以品质好、色泽佳闻名国际。

经过河川冲积后的各种玛瑙，色泽十分美丽。

彩纹玛瑙呈现红、蓝、棕等色彩，非常漂亮。而火玛瑙有蛋白石般的变彩，表面有一层很薄的褐铁矿，在阳光下像火焰一样，所以称为"火玛瑙"。

玩沙子，捡石头

相信你一定曾在河边玩过沙子或捡过石头吧。你是不是曾想过，为什么河边有些地方都是大石头，有些地方却是小石头或泥沙？其实这和河流的侵蚀、搬运、堆积能力有很大关系。想知道更多吗？那就让我们来做些实验。

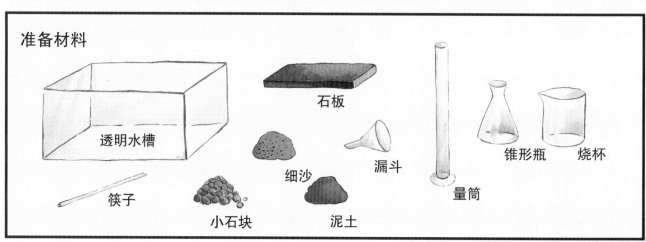

准备材料

透明水槽

石板

漏斗

筷子

小石块

细沙

泥土

量筒

锥形瓶

烧杯

实验一：谁漂得最远？

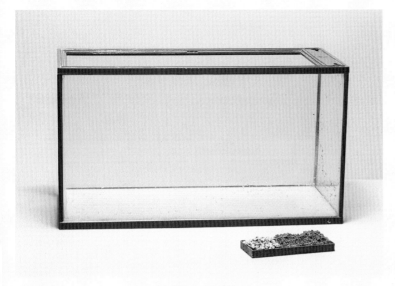

1. 准备一个水槽，并取一块石板，放上小石块、泥土和细沙。

是不是要做泥沙饼和石子饼？

2. 然后将石板慢慢放入水槽中，并将水槽一边垫高。

你知道哪一种漂得最远吗？

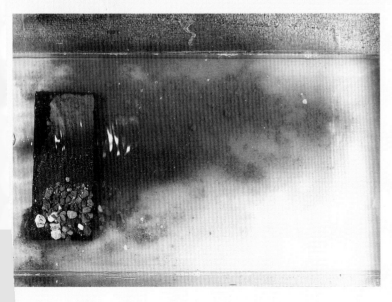

3. 从水槽高的一边注水，仔细观察小石块、泥土和细沙漂流的方向和速度。

实验二：谁沉得比较快？

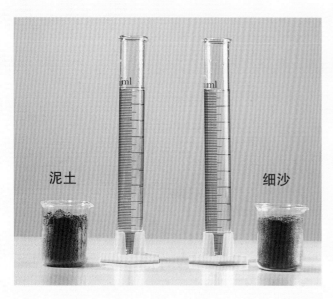

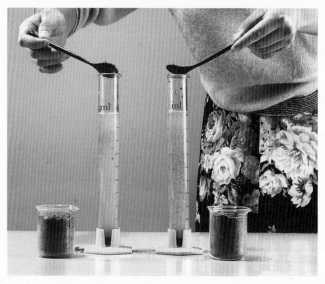

1.在两个量筒中装满水，并且准备细沙和泥土。

2.用汤匙装上等量的细沙和泥土，分别倒入两个量筒中，比较它们在水中沉降的情形。

实验三：谁沉在最下头？

你猜哪一样在最下层？

1.找一个量筒（或瘦长形的玻璃瓶），装入八分满的水，在另一个容器里装入小石块、细沙和泥土，用筷子将它们混合均匀。

2.将容器内的混合物倒一半到量筒中，几分钟后观察量筒里沉淀的情形。

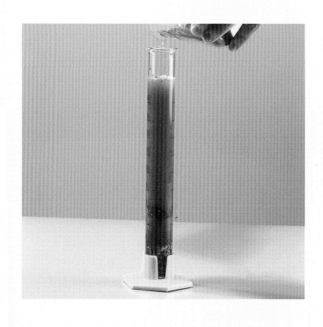

3.等倒入的混合物沉淀后，将剩下的混合物再倒入量筒中，观察沉淀情形和前一次是不是一样。

这个实验的目的是什么？在大自然中，是不是也能找到相似的情形？

实验四：哪一个透水性最好？

1.在3个漏斗底部塞入少许的棉花，然后把3个漏斗分别放入3个锥形瓶中。

2.其中一个漏斗放入小石块和细沙，一个只放细沙，另一个只放入泥土，并加入等量的水。

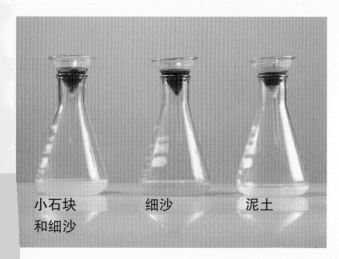

小石块和细沙　　　细沙　　　泥土

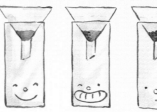

猜猜看，哪一个瓶子里的水最多？

3.5分钟后，观察哪一个漏斗流到锥形瓶中的水最多。

59

河川的搬运能力

当河川从源头往下游流的时候，会侵蚀河床两岸的岩壁和土壤，然后水流又携带着这些被侵蚀下来的石块和沙土向下游流。越到下游，河川的水势越缓慢，携带、搬运石块的力量就减弱了。这时候大石块会最先沉积下来，小石块和泥沙等较小、较轻的颗粒还会继续漂流一段时间，然后依轻重顺序沉积下来。实验一便是模拟河川的搬运情形，以水注入水槽来当作水流，小石块漂得距离最短，泥土则漂得最远。

下次你到野外时，可以注意一下河川的上游河床是不是布满了大石块，下游河床大多是小石头，而河口处则多为淤积的泥沙。

溪流上游

溪流下游

石头、泥沙堆积顺序

在河流搬运石块、泥沙的过程中，一旦流速变慢或静止不动，水中的东西便会沉积下来。石块和泥沙都会直接沉入水底，颗粒粗大的沉在最下面，所以大石块会沉在最下层，其次是小石块、沙子，最上层是泥土。泥土也是颗粒大的先沉淀，颗粒小的会漂浮在水中一段时间才沉淀。

所以在实验二中，比较细沙和泥土的沉降情形，会发现细沙沉得较快，泥土则会漂浮一阵再慢慢沉淀。而实验三中，小石块会沉在最下层，其次是沙子、泥土。第二次实验时，顺序仍然不变，这也是地壳中岩层的堆积顺序。

河流中泥沙沉淀的情形。

岩层的排列情形。

不同的透水性

在实验四中，石块和沙子的混合物透水性最好，因为它的缝隙较大，水较易通过。泥土层土质细密，缝隙小，水较不容易通过，透水性较差。

沙子和小石块的透水性强，使地表不易积水。